图书在版编目（CIP）数据

哎呀，有怪兽/(比) 塞杰斯 编文；(比)德哈姆 绘；程雯 译 —北京：海豚出版社，2011.1

Ⅰ.①哎… Ⅱ.①塞… ②德… ③程… Ⅲ.①图画故事—比利时—现代 Ⅳ.①I564.85

中国版本图书馆CIP数据核字(2010)第247227号

版权合同登记号：图字01-2010-7964

Klein Konijn gaat Kamperen

Verhaal&Illustraties: Heidi D'hamers

© 2009 Uitgeverij Abimo

Europark Zuid 9, 9100 Sint Niklaas

België

哎呀，有怪兽

[比] 甘特·塞杰斯 文

[比] 海蒂·德哈姆 绘 程雯 译

出 版　海豚出版社

地　址　北京市西城区百万庄大街24号，100037

责任编辑　张 冬 包 芸

经 销　新华书店

印 刷　北京捷迅佳彩印刷有限公司

开 本　16开（850×1010）印 张　1.75

版 次　2011年1月第1版　2012年11月第10次印刷

标准书号　ISBN 978-7-5110-0406-2

定 价　13.80元

如有印装质量问题请与出版社联系调换

电话（010）68997480（销售）（010）68998879（总编室）传真（010）68993503

本作品简体中文专有出版权由中华版权代理中心代理，海豚出版社独家出版。

幸福的小土豆

哎呀，有怪兽

[比]甘特·塞杰斯 文　[比]海蒂·德哈姆 绘　程雯 译

海豚出版社
DOLPHIN BOOKS
CIPG 中国国际出版集团

"今天的天气可真好啊！"小土豆高兴地说，"在家待着太可惜了，我要去森林里露营！想想都觉得很幸福呢！"

"我想待在家里，弄一下花园，你自己去吧。"小白菜说。

"我去露营，该带些什么呢?"小土豆问道。

"带一条毯子吧，睡觉时可以盖。"小白菜回答，"还有水壶，渴了可以喝水；一些胡萝卜，饿了可以吃；还有刀和叉，吃胡萝卜的时候可以用。"

"还有牙刷，吃完饭得刷刷牙……"

"这么多东西，"小土豆说，"我都装到背包里吧。我还要带上我的小帐篷，这样晚上我就可以在森林里睡觉了。"

"我全收拾好了！"小土豆
兴奋地说，"一个星期以后再见
喽！"

　　和好朋友小白菜挥挥手，
说过再见，他就出发了。

"你要去哪里？"丁丁和朵
朵好奇地问。

　　"去森林。"小土豆大声地
回答，"我要去露营！"

咦！这只
小鸟怎么了？

得赶紧把他放回鸟窝里，
不然他可活不了了！

你好呀！小青蛙！

"啊，可爱的大森林……"小土
豆边走边哼起了《森林之歌》。
　　森林里的动物们好奇地看着这
个有趣的小朋友。

"就在这里露营吧，这里看起来很不错。"小土豆自言自语，"我先支起帐篷，然后就烧水做晚饭。"

小土豆找来了一些干燥的树枝。用它们做什么呢？

他用手使劲地搓一根树枝。看啊！木头变热了，然后冒烟了。

"这样我就可以生火，煮一锅好吃的胡萝卜汤啦。"他高兴地对自己说。

该到睡觉的时间了。
帐篷里真暖和啊，毛毯好舒服。

突然，"喔嚯……喔嚯……"
一个奇怪的声音传了过来。
"嚓嚓……嚓嚓……"帐篷外
好像有东西在爬来爬去。

紧接着，帐篷上出现了许多奇怪的影子，不停地来回晃动。

小土豆吓得发起抖来，是什么东西在外面？难道森林里有怪兽？

"我要不要带上手电筒出去看一眼呢？"他又壮起胆子想。

当他打开帐篷一看，一对
巨大的黑耳朵突然出现在地
上！这一定是个大怪兽！

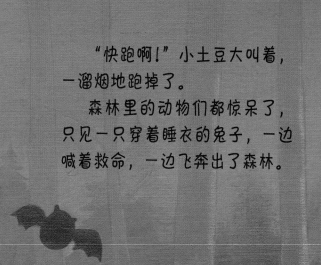

"快跑啊！"小土豆大叫着，
一溜烟地跑掉了。

森林里的动物们都惊呆了，
只见一只穿着睡衣的兔子，一边
喊着救命，一边飞奔出了森林。

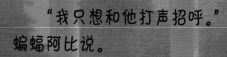

"我只想和他打声招呼。"
蝙蝠阿比说。

"穿这么少，他这样会感冒的。"猫头鹰阿欧说。

"嗯，其实我还挺喜欢他的。"狐狸阿福说。

第二天早上……

小土豆的朋友们早早地来到
了他的露营地，还带来了美味的
早餐，想给他一个惊喜。

"快起床啦，小土豆，我们都来啦！"他们叫道。
但是小土豆却不在帐篷里……

　　"好像他都没在帐篷里
过夜啊。"朵朵说。
　　"那他去哪儿了？"丁丁问。
　　"我们赶紧回村子，去他家
看看吧。"娜娜说。

"你见到小土豆了吗？"大家异口同声地问。

小白菜睁大眼睛惊奇地说："他不是到森林里去露营了吗？"

大家找来找去，最后发现小土豆正在家里的床上呼呼大睡呢。大家你看看我、我看看你，觉得这事真是太奇怪了。

"昨天夜里，森林里有个大怪兽！"小土豆心有余悸地告诉朋友们，
"他叫着'喔嚯'！"

"那会不会是只猫头鹰？"丁丁说。

"他还到处爬！"小土豆接着说。

"那可能是刺猬。"朵朵说。

"可是帐篷周围到处都是奇怪的影子。"小土豆又说。

"这肯定是蝙蝠。"毛毛说。

"还有，那两只大耳朵是怎么回事……"小土豆结结巴巴地问。

当他抬眼看到自己的耳朵时，大家都笑了起来……

"我们一起去森林里露营吧，肯定会更好玩的！"小白菜提议。

"而且我们人多，也不用怕大怪兽啦。"朵朵接着说。

于是，几个好朋友一起唱着跳着又来到了森林里。

"小心！别伤到蚂蚁！蚂蚁建个窝要很久的，
弄坏了，他们又得重建！"

一到露营地，大家就开始忙起来。"我们需要很多的枯树枝。谁能来帮下忙?"小土豆说。

"今晚我一定能睡个好觉。"
"我们需要更多的木头来生火!"

太阳落山后，大家都钻进了各自的小帐篷里，准备睡觉了。

"嘿，那是什么声音？"朵朵害怕地说。
"那些影子是什么啊？"毛毛也吓坏了。

结果，小土豆被吓坏了的朋友们给吵醒了……

"还是和朋友们在一起好啊，就不会害怕了。"

晚安！晚安！

"下次我得建个大点的树屋。"
小土豆想着想着渐渐地进入了梦乡。